Hits of the 80s

S-95'

Wise Publications
London/New York/Paris/Sydney/
Copenhagen/Madrid

Exclusive Distributors:
Music Sales Limited
8/9 Frith Street, London W1V 5TZ, England.
Music Sales Pty Limited
120 Rothschild Avenue, Rosebery, NSW 2018, Australia.

This book © Copyright 1994 by
Wise Publications
Order No. AM91505
ISBN 0-7119-3727-3

Cover design by Hutton Staniford
Compiled by Peter Evans
Music arranged by Stephen Duro
Music processed by Interactive Sciences Limited, Gloucester

Music Sales' complete catalogue describes thousands of titles and is available in full colour sections by subject, direct from Music
Sales Limited. Please state your areas of interest and send a cheque/postal order for £1.50 for postage to: Music Sales Limited,
Newmarket Road, Bury St. Edmunds, Suffolk IP33 3YB.

Printed in the United Kingdom by
Halstan & Co Limited, Amersham, Buckinghamshire.

Didn't We Almost Have It All   4

Easy Lover   12

Every Breath You Take   8

I Think We're Alone Now 15

I Wanna Dance With Somebody (Who Loves Me)   18

Private Dancer   22

That Ole Devil Called Love   32

The Way It Is   26

Walk Of Life   28

What's Love Got To Do With It   35

When The Going Gets Tough, The Tough Get Going   38

Woman   42

Wonderful Life   45

Didn't We Almost Have It All

Words & Music by Michael Masser & Will Jennings

Moderately

2.

| Cm7 | Daug7 | Ebmaj7 |

did-n't we al-most have it all. Did-n't we have the best of

| Dm7 | Gm7 | Ebmaj7 |

times when love was young and new, could-n't we reach in - side and

| Dm7 | Gm7 | Ebmaj7 | | Dm7 | Gm7 |

find a world of me and you, we'll ne-ver lose it a-gain,—— 'cause

| Cm7 | Bb/D | Ebmaj7 | Eb/F | F |

once you know what love is, you nev-er let it end.————

| Bb | Eb | Dm7 | Gm7 | Cm7 | F7 |

Did-n't we al-most have it all the nights we held on 'til the

morn - ing.___ You know you'll nev - er love that

way___ a - gain___ did - n't we al - most have it all

did - n't we al - most have it all.___

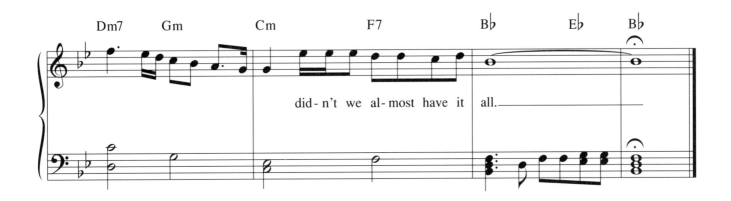

VERSE 2:
The way you used to touch me felt so fine
We kept our hearts together down the line
A moment in the soul can last forever
Comfort and keep us
Help me bring the feelings back again.

Every Breath You Take

Words & Music by Sting

Moderately

Easy Lover

Music by Phil Collins, Philip Bailey & Nathan East
Words by Phil Collins

Moderately

14

I Think We're Alone Now

Words & Music by Ritchie Cordell

Moderately

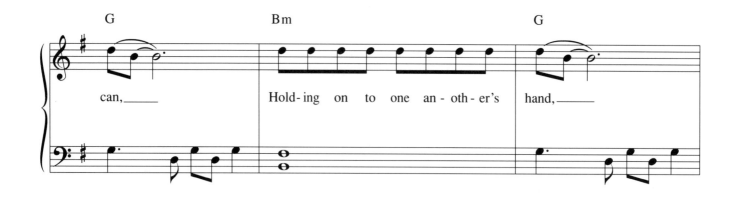

can,_____ Hold- ing on to one an - oth - er's hand,_____

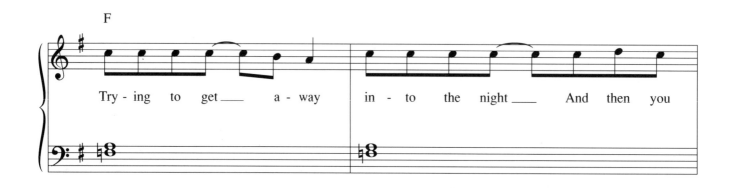

Try - ing to get_____ a - way in - to the night ____ And then you

put your arms a - round me as we tum - ble to the ground And then you

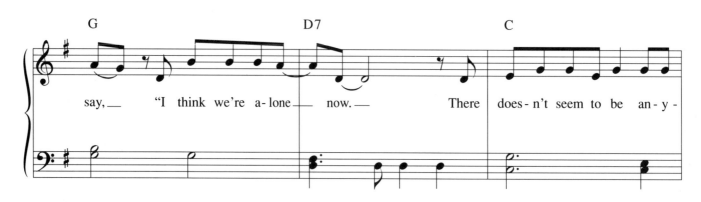

say, ___ "I think we're a- lone____ now. ____ There does- n't seem to be an- y-

one a - round._____   I think we're a - lone____ now.____   The

beat - ing of the hearts is the   on - ly sound."_____

I think we're a - lone____ now. ___   The

beat - ing   of   the hearts   is   the   on - ly   sound._____

I Wanna Dance With Somebody

Words & Music by George Merrill & Shannon Rubicam

VERSE 2:
I've been in love and lost my senses
Spinning through the town
Sooner or later the feeling ends
And I wind up feeling down.
I need a man who'll take a chance
On a love that burns hot enough to last
So when the night falls
My lonely heart calls.

Private Dancer

Words & Music by Mark Knopfler

Moderately

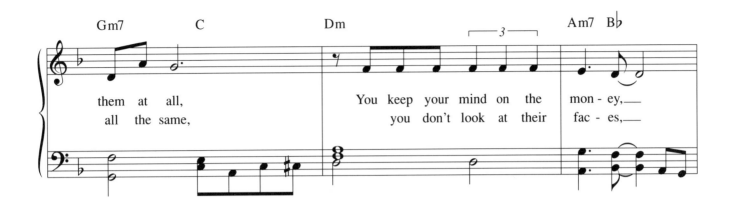

them at all,
all the same,
You keep your mind on the
you don't look at their
mon - ey,___
fac - es,___

Keep- ing your eyes
and   you don't
on   the   wall.___
ask   their names.___
I'm your
pri - vate dan - cer, a

dan - cer for mon - ey,
I'll
do   what you want me to
do.
I'm your

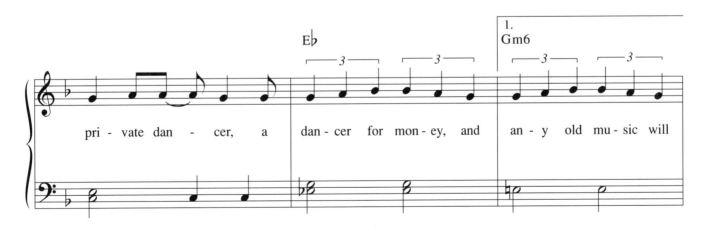

pri - vate dan - cer, a
dan - cer for mon - ey, and
an - y old mu - sic will

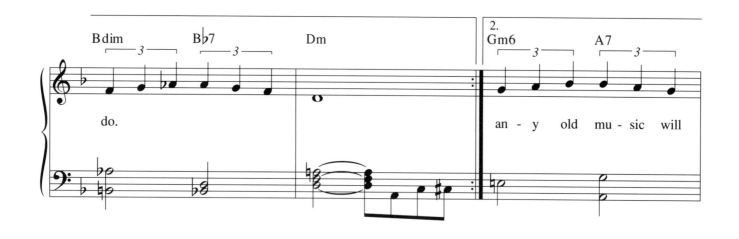

do. an - y old mu - sic will

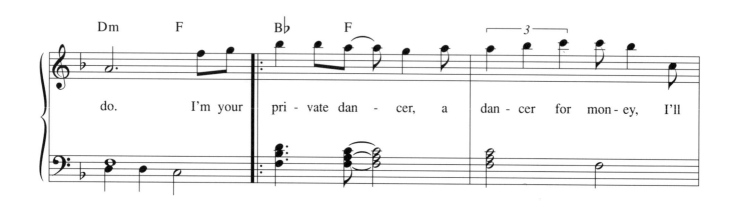

do. I'm your pri - vate dan - cer, a dan - cer for mon - ey, I'll

do what you want me to do, just a pri - vate dan - cer, a

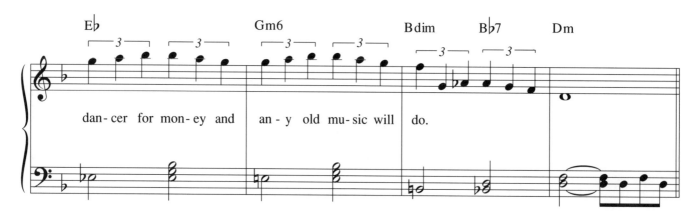

dan - cer for mon - ey and an - y old mu - sic will do.

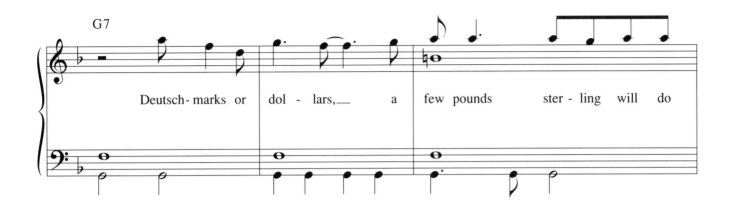

Deutsch-marks or dol - lars,___ a few pounds ster - ling will do

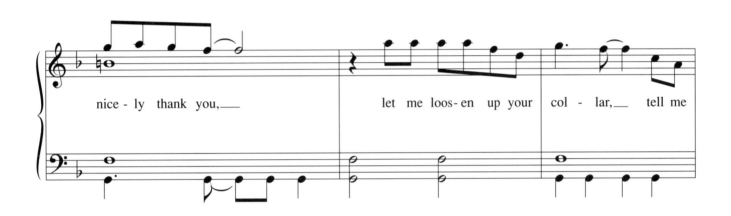

nice - ly thank you,___ let me loos- en up your col - lar,___ tell me

Bdim   **Bb7**   **1.** **A7**

do you want to see me do the shim - my a - gain,_____ I'm your

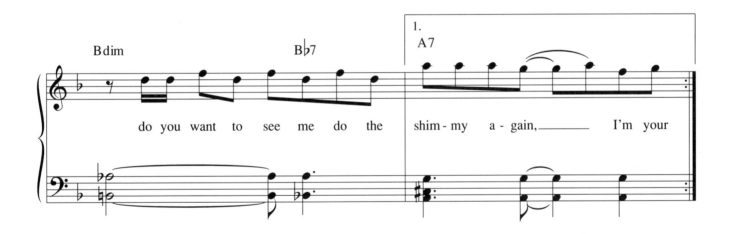

2. **A7**   **Fsus4**   **F**

shim - my a - gain._____ I'm your pri - vate dan - cer.___

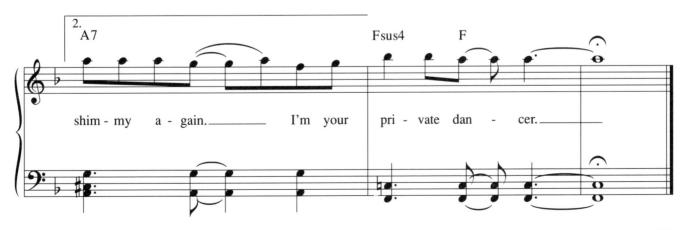

The Way It Is

Words & Music by B.R. Hornsby & J. Hornsby

Moderately

VERSE 2:
Said hey little boy you can't go
Where the others go
'Cause you don't look like they do
Said hey old man how can you stand
To think that way
Did you really think about it
Before you made the rules.
He said son

VERSE 2:
Well they passed the law in '64
To give those who ain't got a little more
But it only goes so far
Because the law don't change another's mind
When all it sees at the hiring time
Is the line on the colour bar oh no.

Walk Of Life

Words & Music by Mark Knopfler

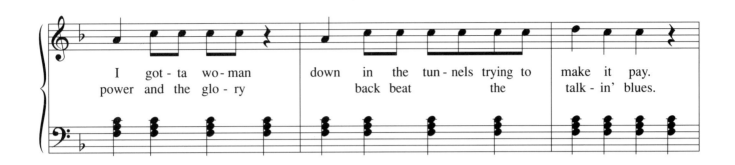

I got - ta wo - man
power and the glo - ry
down in the tun - nels trying to
back beat the
make it pay.
talk - in' blues.

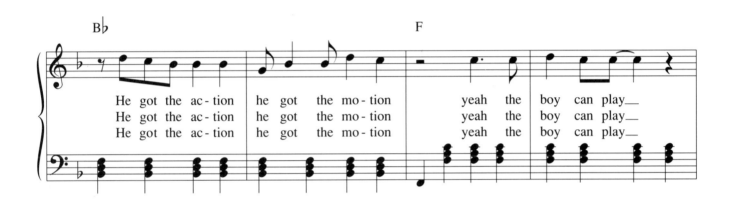

B♭   **F**

He got the ac - tion he got the mo - tion yeah the boy can play___
He got the ac - tion he got the mo - tion yeah the boy can play___
He got the ac - tion he got the mo - tion yeah the boy can play___

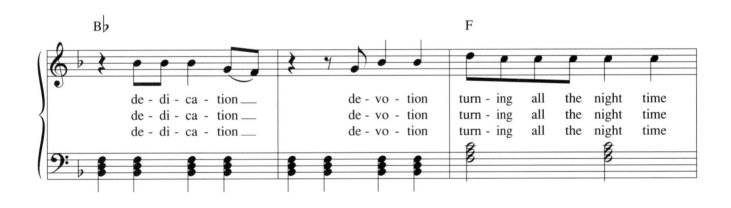

B♭   **F**

de - di - ca - tion___ de - vo - tion turn - ing all the night time
de - di - ca - tion___ de - vo - tion turn - ing all the night time
de - di - ca - tion___ de - vo - tion turn - ing all the night time

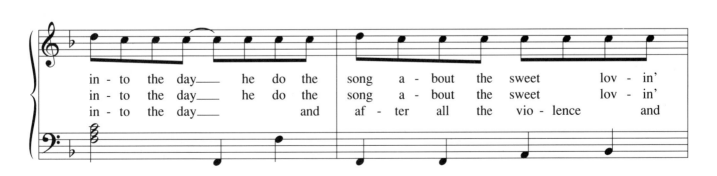

in - to the day___ he do the song a - bout the sweet lov - in'
in - to the day___ he do the song a - bout the sweet lov - in'
in - to the day___ and af - ter all the vio - lence and

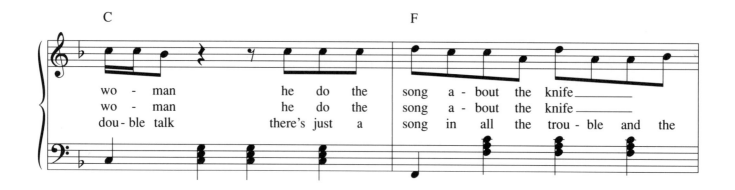

wo - man   he do the   song a - bout the knife _____
wo - man   he do the   song a - bout the knife _____
dou - ble talk   there's just a   song in all the trou - ble and the

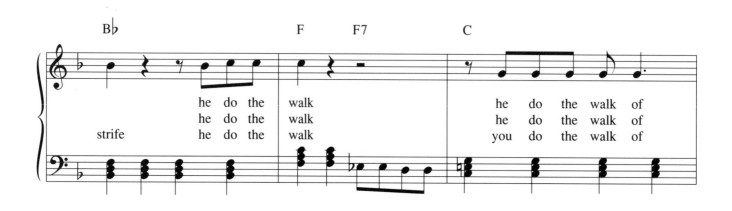

           he do the walk   he do the walk of
           he do the walk   he do the walk of
strife   he do the walk   you do the walk of

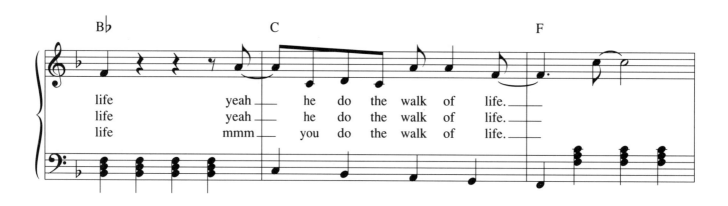

life   yeah ___ he do the walk of life. ___
life   yeah ___ he do the walk of life. ___
life   mmm ___ you do the walk of life. ___

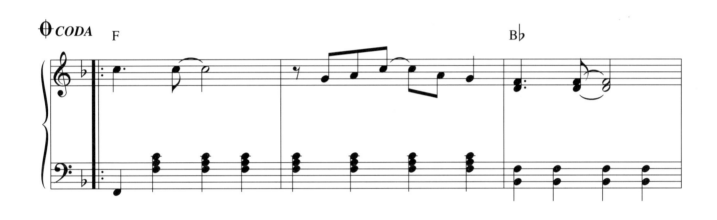

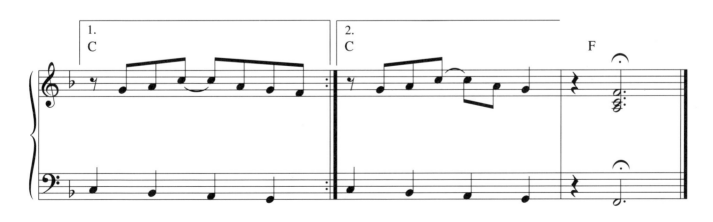

That Ole Devil Called Love

Words & Music by Doris Fisher & Allan Roberts

Medium slow blues tempo

still___ have the rain, Still___ have those tears and those rocks in my heart.___

Sup-pose I did-n't stay,___ ran a-way,___ would-n't play,___ that

dev-il what a po-tion he would brew. He'd fol-low me a-round,___

build me up,___ tear me down,___ 'til I'd be so be-wil-dered, I

would-n't know what to do. Might as well give up the fight a-gain, I know

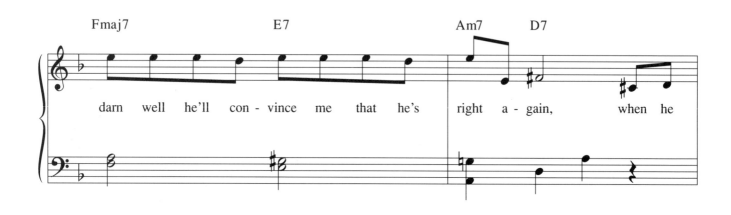

darn well he'll con - vince me that he's right a-gain, when he

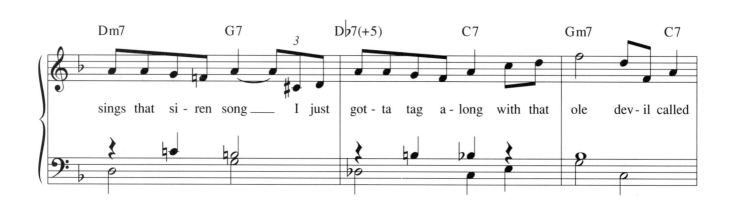

sings that si - ren song____ I just got-ta tag a-long with that ole dev-il called

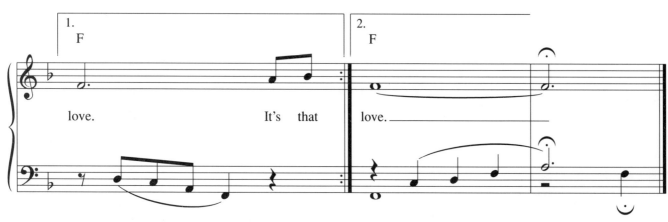

love. It's that love.____

What's Love Got To Do With It

Words & Music by Graham Lyle & Terry Britten

means more than that. Oh ___ What's love ___ got to do ___
do it for me.

___ got to do ___ with it, What's love ___ but a sec-ond hand e-mo-tion? ___

What's love ___ got to do, ___ got to do ___ with it,

who needs a heart when a heart can be bro-ken? ___ It

heart can be bro-ken? ___

I've been tak-ing on a new di-rec-tion but I have ___ to say, ___

When The Going Gets Tough, The Tough Get Going

Words & Music by Wayne Brathwaite, Barry Eastmond,
R.J. Lange & Billy Ocean

Moderately

do   the things that lov - ers do ___   Ooh ___   ooh ___   wan - na

hold you ___   I   got   to get   it through to you ___   ooh ___   when the

go - ing gets tough, ___ the   tough   get   go - ing, when the   go - ing gets rough ___   the

tough   get   rough, hey   hey   hey   hey   hey. ___

1.

(2.) I'm gon - na

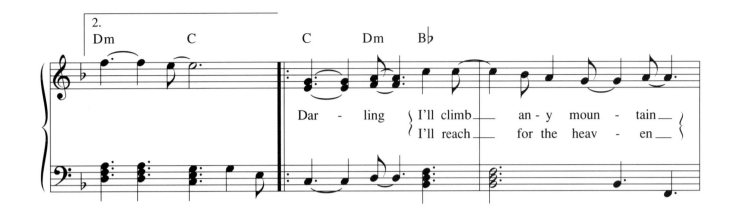

Dar - ling { I'll climb___ an - y moun - tain___ }
{ I'll reach___ for the heav - en___ }

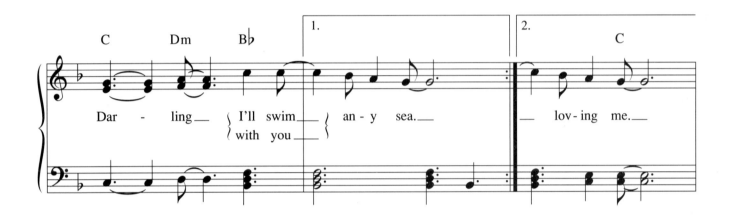

Dar - ling___ { I'll swim___ } an - y sea.___
{ with you___ }

1.

2.

lov - ing me.___

Ooh_____

Ooh_____

VERSE 2:
I'm gonna buy me a one way ticket
Nothin's gonna hold me back
Your love's like a slow train coming
And I feel it coming down the track.

Woman

Words & Music by John Lennon

Moderately slow

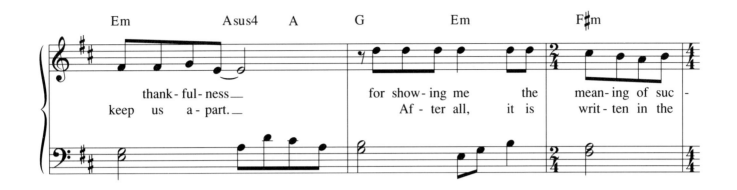

Em   Asus4   A   G   Em   F#m

thank - ful - ness   for show - ing me   the   mean - ing of suc -
keep   us   a - part.   Af - ter all,   it is   writ - ten in the

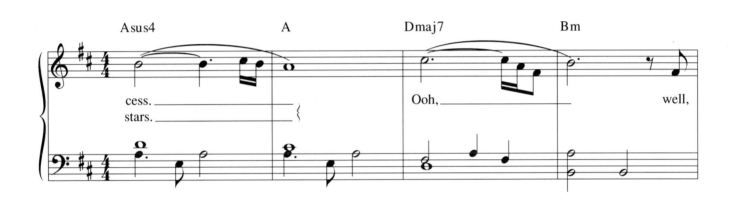

Asus4   A   Dmaj7   Bm

cess.   Ooh,   well,
stars.

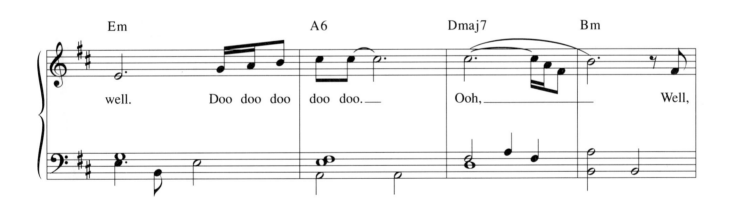

Em   A6   Dmaj7   Bm

well.   Doo doo doo   doo doo.   Ooh,   Well,

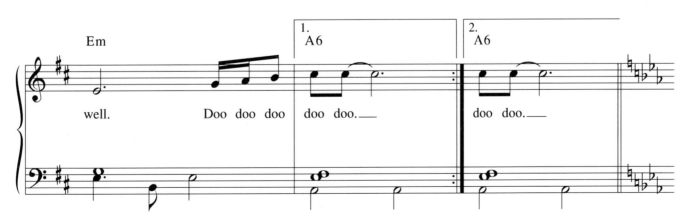

Em   1. A6   2. A6

well.   Doo doo doo   doo doo.   doo doo.

Wom-an,___ please let me ex-plain.___ I nev-er meant to cause you

sor-row or pain.___ So let me tell you a - gain and a - gain and a -

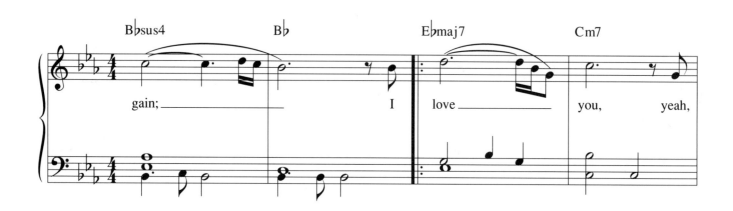

gain;___ I love___ you, yeah,

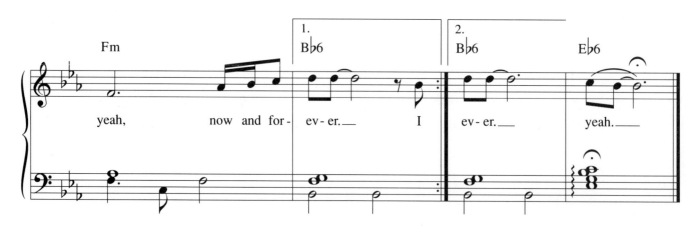

yeah, now and for- ev- er.___ I ev- er.___ yeah.___

Wonderful Life

Words & Music by Colin Vearncombe

there's ma-gic ev-'ry-where.

Look at me stand - ing,

here on my own a-gain,___ up straight in the

sun - shine.___ No need to run___

and hide, it's a won-der-ful, won-der-ful

VERSE 2:
The sun's in your eyes
The heat is in your hair
They seem to hate you
Because you're there
And I need a friend, oh I need a friend
To make me happy
Not stand there on my own
Look at me standing here on my own again
Up straight in the sunshine.

VERSE 3:
(*Instrumental*)

I need a friend, oh I need a friend
To make me happy, not so alone
Look at me here, here on my own again
Up straight in the sunshine.

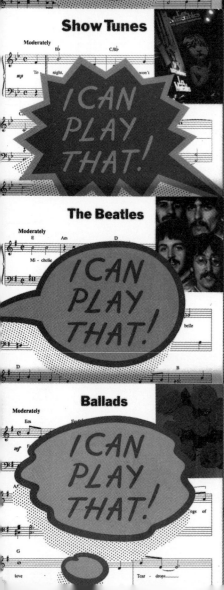